COMUNE DI ROMA - ASSESSORATO ALLA CULTURA

W9-CDA-724

ANTIQUARIUM COMUNALE
Storia di un museo romano e delle sue raccolte archeologiche

a cura di Anna Mura Sommella e Carla Salvetti

FRATELLI PALOMBI EDITORI
1914 - 1994
ottanta anni di edizioni d'arte

Un computer per un museo

È sempre più frequente imbattersi nello schermo di un computer visitando le sale di un museo ed il visitatore è più stupito della mancanza di uno strumento simile che della novità del mezzo. È, questa, una tendenza che va collocata nell'ampio piano dell'allestimento museale e più correttamente compresa nel cambiamento di ruolo del museo. Museo non più "luogo della memoria e dell'arte", ma organismo che tesse una fitta rete di relazioni con la comunità e diviene luogo di conoscenza e di trasmissione dei messaggi e delle idee che gli oggetti "musealizzati" posseggono. Se questo è uno scenario reale, allora si possono individuare una serie di principi che guidino il progetto del nuovo museo nel quale la comunicazione (ed i mezzi) delle idee sottese dal patrimonio giochi un ruolo essenziale.

Gli oggetti in esposizione abbandonano in parte il loro essere puri reperti dell'autenticità materiale per divenire tramiti concettuali in cui vengono a trovarsi possibili (e virtuali) ricostruzioni dei vari aspetti della civiltà attraversata da un percorso espositivo.

E da questo discende l'apparato informativo che accompagna gli oggetti di un museo; l'informazione presso gli oggetti, il legame concettuale reso palese da un segno grafico su un video, il raffinato gioco di rimandi tra un oggetto ed una civiltà ed altri prodotti della stessa civiltà.

Non si vuole proporre una forma di culto per l'oggetto, ma sotto le specie del suo essere storico, materializzato dal suo tramite comunicativo o dal suo succedaneo mediale ed interattivo, ricreare la complessa e sofisticata rete di considerazioni, idee e concetti che una civiltà ha steso prima di realizzare un prodotto.

Il computer è moltiplicatore di spazio museale, propone il non-visibile (il deposito) mediante immagini e testi, ricompone il contesto (lo scavo, l'uso, il patrimonio disperso), completa la collezione, sottolinea i segni della civiltà che ha prodotto un'opera; il suo ruolo deve essere discreto ed inserito armonicamente nel progetto del museo.

IBM SEMEA già da molti anni ha partecipato al progetto di nuove strutture museali ed espositive portando un contributo unico di tecnologia ed esperienze internazionali e ha realizzato sistemi informativi di guida per il visitatore e di supporto per la gestione del museo; in Italia ne sono esempi la mostra Riscoprire Pompei, il Settecento Lombardo, Guido Reni ecc. ed il museo leonardiano di Vinci, il museo Nazionale Romano, la Galleria Nazionale di Perugia ecc.

Vittorio Di Trapani
direttore generale
IBM SEMEA SUD

© 1994
Tutti i diritti spettano
alla Fratelli Palombi Srl
Editori in Roma
Via dei Gracchi, 183
00192 Roma

ISBN 88-7621-154-3

Progettazione e realizzazione
grafica e redazionale
a cura della Casa Editrice

La pubblicazione è stata realizzata in collaborazione
con la Soprintendenza Comunale

Referenze fotografiche: Archivio Antiquarium Comunale

Stampa: Fratelli Palombi Srl – Roma, dicembre 1994

In copertina: Bambola snodata in avorio dal corredo di Crepereia, particolare

Il Museo e le collezioni

Quando, dopo il 1870, fu operata la scelta di trasferire a Roma la capitale del regno d'Italia, immediata si profilò la necessità di rendere la Città all'altezza del nuovo ruolo e di dotarla di tutte le strutture necessarie all'espletamento dei nuovi compiti e alla sistemazione di nuclei di popolazione immigrata per lo più dal Regno sabaudo.

In effetti la città, fino a quella data, era rimasta ferma, dal punto di vista urbanistico, all'assetto rinascimentale e barocco e contava poco più di 200.000 abitanti, residenti tra il Campo Marzio, la Suburra, Borgo, Trastevere; poche case e vigne occupavano le pendici dei colli, la zona attorno al Foro e al Campidoglio, il Quirinale e la zona tra il Laterano e il Colosseo.

La febbrile attività edilizia per la creazione di infrastrutture, quartieri abitativi, ministeri, segna quindi una profonda trasformazione del tessuto urbano nel giro di pochi decenni e si rivela occasione irripetibile per riportare alla luce la storia più antica di Roma; ma il ritmo dei lavori e degli sterri è talmente frenetico che già Rodolfo Lanciani, l'insigne studioso e illustratore delle scoperte di quegli anni, aveva la consapevolezza di «essersi lasciata sfuggire un'occasione che non è per tornare, che è perduta per sempre».

Gli scavi, nonostante la casualità e la fretta imposte dai programmi urbanistici ed il reinterro o la distruzione delle strutture emerse laddove ostacolassero i piani di urbanizzazione, portarono a scoperte determinanti per la conoscenza della topografia antica e della storia dei primi duemila anni di Roma e consentirono di raccogliere un immenso patrimonio di reperti che andò ad arricchire le collezioni capitoline e determinò la creazione di nuovi musei.

Lo Stato e il Comune, tra i quali era divisa la competenza di sovraintendere alle antichità di nuova acquisizione, non solo si dovettero dotare di strumenti legislativi e di organismi preposti alla tutela del patrimonio archeologico, ma soprattutto dovettero far fronte alla inadeguatezza delle strutture esistenti di fronte alle massicce immissioni di reperti. L'unico museo statale esistente a Roma era infatti il Kircheriano con sede al Collegio Romano, mentre le raccolte municipali disponevano della prestigiosa sede dei Musei Capitolini, ancora in parte occupata, nel Palazzo dei Conservatori, dagli uffici e dagli archivi della omonima Magistratura romana.

Contrasti tra Stato e Comune, difficoltà finanziarie per l'uno e per l'altro, conflittualità sulle rispettive competenze, ritardarono la messa a punto dell'istituzione di nuovi musei e, alla fine, fecero sì che si dovesse rinunciare al grandioso progetto di un unico Museo Archeologico Nazionale che avrebbe raccolto tutto il patrimonio di Roma e del suburbio.

I materiali di competenza statale furono divisi tra il Museo Nazionale Romano, inaugurato nel 1890 nell'edificio delle Terme di Diocleziano e il Museo di Villa Giulia per le antichità extraurbane. Quelli rinvenuti negli scavi di competenza del Comune erano stati intanto parzialmente sistemati nel Palazzo dei Conservatori, sia nelle sale liberate dagli uffici di quella Magistratura, sia nel padiglione ligneo progettato dall'architetto Vespignani, collocato nel Giardino Romano del Palazzo. Ma la parte più consistente dei reperti, in particolare «quegli oggetti e quei monumenti che per la loro mole, per la loro natura, per il loro stato di conservazione non potessero essere esibiti almeno prontamente nei Palazzi Capitolini», veniva fatta confluire nel Magazzino Archeologico al Celio, utilizzando quanto era stato costruito per il progetto poi abbandonato del Museo Archeologico Nazionale.

Il Magazzino del Celio, sorto nell'area del c.d. Orto Botanico, sistemato come Passeggiata pubblica già al tempo di papa Gregorio XVI su progetto di Gaspare Salvi, fu riordinato e aperto agli studiosi e parzialmente al pubblico nel 1894, come sede espositiva di materiale prevalentemente scultoreo ed epigrafico.

Questa sistemazione rimase pressoché invariata fino al 1925 quando, con l'acquisizione del Palazzo Caffarelli sul Campidoglio e la conseguente disponibilità di nuovi spazi, furono trasferite dal Celio nel Museo Mussolini, oggi Museo Nuovo, quasi tutte le maggiori opere di scultura. Il Magazzino archeologico al Celio, ribattezzato *Antiquarium*, ampliato e inaugurato con una nuova veste architettonica nel 1929, fu destinato all'esposizione delle cosiddette arti minori e dei marmi architettonici che ne "arredavano" il giardino.

Questa separazione contribuì a disperdere un patrimonio di notizie funzionali alla ricostruzione del tessuto storico, topografico e sociale della città antica, smembrando complessi unitari e disperdendo in sedi diverse oggetti provenienti da uno stesso edificio o da monumenti in stretta relazione. I criteri espositivi, secondo quanto dichiarato dallo stesso curatore, Antonio Muñoz, nella presentazione dell'*Antiquarium*, furono dettati da un'esigenza estetica, ad eccezione dei nuclei votivi o funebri di cui venne rispettata l'unitarietà.

Dopo soli dieci anni di vita il Museo del Celio venne chiuso e sgomberato di tutto il materiale, poiché i lavori per lo scavo della ferrovia metropolitana avevano provocato gravi lesioni all'edificio. I reperti furono allora chiusi in casse e depositati in vari magazzini, con la conseguenza di un'ulteriore, gravissima perdita di dati.

Un lungo lavoro, che ha comportato il riesame del materiale archeologico, un'attenta analisi delle fonti archivistico-documentarie, impegnativi interventi di restauro e di studio sulle opere, consente oggi di restituire nella loro interezza alcuni complessi monumentali o residenziali, i cui materiali erano stati smembrati e divisi tra le varie sedi espositive.

Questi risultati hanno consentito da una parte di progettare una nuova impostazione allestitiva nell'ambito dei Musei Capitolini, dall'altra di programmare ulteriori spazi espositivi che dilatino l'area capitolina creando le premesse per un sistema museale policentrico. Le varie ipotesi di lavoro, relative a spazi piuttosto ampi, dovranno conciliare le nuove esigenze museologiche con la disponibilità di laboratori efficientemente attrezzati per consentire, in un primo momento, la lettura critica e lo studio dei materiali, successivamente, la possibilità di presentare di volta in volta i risultati scientifici di quel lavoro preliminare.

Solo così si possono porre le basi per una ricomposizione filologicamente corretta di tutto quel materiale che il sottosuolo di Roma ha restituito e che, a più di cento anni di distanza dai tentativi di creare il grande Museo Archeologico Urbano, è ancora in parte sconosciuto.

3

Le collezioni
dalle origini di Roma al tardo Impero

«Dovunque nel mondo due strade importanti si incrociano o dove sia un ponte, la gente si incontra e si ferma, vi sorge un mercato».

Roma, secondo questa felice sintesi del grande storico dell'arte antica, Ranuccio Bianchi Bandinelli, deve il suo divenire città al Tevere e alla presenza, nella parte più bassa del suo corso, dell'isola Tiberina.

La presenza dell'isola, infatti, rese possibile fin da età molto antica il guado del fiume favorendo, presso l'area del Foro Boario, gli incontri e gli scambi tra le genti delle opposte rive, Etruschi sulla destra, Latini e Sabini sulla sinistra.

Un facile approdo sul Tevere, a valle dell'isola, favorì lo sviluppo dei traffici tra il litorale tirrenico e le zone più interne della Sabina e del Territorio Falisco; il convergere, nel guado tiberino, di due importanti strade, la via Campana e la via Salaria, quest'ultima utilizzata per il trasporto del sale dalla costa laziale alla Sabina, rese stabile questa realtà commerciale, che ebbe nel Foro Boario e nel Foro Romano i suoi spazi di mercato più antichi.

La situazione oro-idrografica del sito in cui si svilupperà la città storica, caratterizzata da colli che dovevano ergersi dalla pianura circostante con pendii molto ripidi, ricoperti di boschi di querce, di faggi, di elci, e valli attraversate da corsi d'acqua che ne determinavano spesso l'impaludamento, rende molto credibile una iniziale occupazione di quest'area per insediamenti sparsi, in sintonia con le saghe più antiche.

La redazione romana del mito, quale si venne definendo in età augustea, in connessione con la leggenda di Enea e con la tradizione albana delle origini di Roma, privilegia invece la versione che fa del Palatino il colle prescelto dalla volontà divina per dare origine alla città.

Roma, secondo questa tradizione, che ha trovato nell'opera di Livio la sua più alta espressione letteraria, sarebbe stata fondata sul Palatino da Romolo, figlio di Marte e di Rea Silvia, secondo un rituale che ricalca nei minimi dettagli quello usato, in epoca repubblicana, per la fondazione delle colonie latine.

La data di fondazione varia, nelle fonti letterarie antiche, tra l'814-13 a.C. di Timeo e il 728-7 a.C. di Cincio Alimento; tra queste si colloca la datazione più accreditata, fissata da Varrone al 754-3 a.C., che comunque deriva da un calcolo annalistico e non poggia su alcuna base scientifica; essa si ottiene infatti, avendo come punto di partenza l'anno 509 a.C., considerato il momento di inizio della Repubblica dopo la cacciata dell'ultimo re etrusco, e aggiungendo gli ipotetici 245 anni di dominio dei sette re da Romolo a Tarquinio il Superbo, calcolati complessivamente su una media di trentacinque anni di regno per ciascuno.

Un fondamentale nucleo di verità sembra comunque celarsi in questa radicata tradizione che pone l'origine di Roma sul Palatino; infatti, anche se il ritrovamento, nel sito in cui la tradizione poneva la *Casa Romuli*, dei resti di un abitato capannicolo riferibile al IX-VIII secolo a.C., non può assumere quel significato probante che i fortunati scopritori ritennero di potergli attribuire, si possono tuttavia ricavare dai dati archeologici e dalle fonti letterarie una serie di indicazioni che rendono plausibile, per l'abitato del Palatino, quel ruolo egemone che gli antichi concordemente hanno voluto riconoscergli.

La critica moderna è concorde nel ritenere che la nascita di Roma, sulla base di quanto evidenziato dai dati archeologici e dall'interpretazione della storiografia e dell'annalistica antica, non possa collocarsi in un momento ben definito: essa è infatti il risultato di quel divenire che, iniziato con gli insediamenti della prima età del ferro, intorno al IX secolo a.C., può dirsi concluso solo a cavallo tra il VII e il VI secolo a.C, con l'avvento della monarchia etrusca.

Una prima tappa significativa in questo processo di trasformazione, che porterà gli insediamenti protostorici verso la costituzione di uno stato unitario, è segnata dal cessare dell'utilizzazione del sepolcreto del Foro, riferibile all'abitato Palatino-Velia, sostituito dalla vasta necropoli periferica dell'Esquilino.

Questo trasferimento dell'area cemeteriale al di fuori del pomerio, collocabile tra la fine del IX e l'inizio dell'VIII secolo a.C., in singolare sintonia con la data tradizionale dell'origine della città è, infatti, in stretta connessione con l'inizio della trasformazione in "spazio pubblico" della valle del Foro, naturale punto di incontro per le genti che occupavano le aree del sistema Campidoglio-Quirinale e Palatino-Velia.

I profondi mutamenti di carattere culturale che accompagnano lo spostamento del sepolcreto, segnalati dal passaggio del rito della incinerazione a quello della inumazione, le profonde trasformazioni della struttura sociale che è ora caratterizzata da una articolazione sconosciuta al periodo precedente, possono trovare chiarificazione nell'apporto di carattere economico e culturale, determinato dalla fondazione delle colonie greche che intorno alla metà dell'VIII secolo si insediano nelle coste dell'Italia meridionale.

Nell'ambito del VII-VI secolo a.C., quando alle capanne dal tetto stramineo si vanno sostituendo le abitazioni con copertura di tegole, una prima sistemazione della piazza del Foro, che dovette essere preceduta dal risanamento delle zone paludose, prelude al sorgere degli edifici destinati ad accogliere i culti e le istituzioni più antiche: la Regia e il tempio di Vesta nella zona più a nord, il Comizio e la Curia, che la tradizione riferisce a Tullo Ostilio, nella zona sud a ridosso del Campidoglio.

La città raggiunge una completa sistemazione urbanistica solo con l'avvento dei Tarquini e di Servio Tullio: al periodo della monarchia etrusca la tradizione fa infatti risalire imponenti opere pubbliche quali la completa bonifica del Foro con la creazione della Cloaca Massima, la costruzione delle mura a difesa di un'area di circa 260 ettari e l'innalzamento sul Campidoglio del grandioso tempio dedicato alla Triade Capitolina.

Allo stesso orizzonte cronologico le fonti antiche e la realtà archeologica consentono di riferire il tempio di *Fortuna-Mater Matuta*, recentemente rimesso in luce nell'area del Foro Boario, che la tradizione attribuisce a Servio Tullio.

Con la definizione degli spazi urbani destinati alla vita associata, al culto, alle residenze istituzionali e private si conclude, alle soglie dell'età storica, quel cammino complesso attraverso cui alcuni degli abitati della bassa valle tiberina, favoriti da particolari situazioni, arrivano a dar vita ad una città, Roma, che già nel VI secolo a.C. si colloca tra i più importanti centri dell'Italia tirrenica.

Le collezioni dell'*Antiquarium* sono in grado di illustrare i momenti più significativi di questo processo attraverso una documentazione archeologica di grande rilievo che, a partire dall'ultimo quarto del secolo scorso, si è andata ampliando con preziosi documenti grazie alle sistematiche, recenti, esplorazioni archeologiche sul Campidoglio e nell'Area del Foro Boario.

Gli antichissimi abitati in grotta dell'età del bronzo, riferibili alla frequentazione di genti che tra il XVI e il XI secolo a. C. occuparono con cadenza stagionale le pendici tufacee del Campidoglio verso il Tevere, sono documentati da un'ampia serie di frammenti fittili – fornelli, recipienti per la lavorazione del latte, attingitoi, tazze etc. – che attestano per essi una prevalente attività pastorale.

L'età del ferro tra il X e il VII secolo a.C. è documentata dalle tracce di abitato sul Palatino, Campidoglio e Foro Boario e dalle sepolture del sepolcreto del Foro, delle pendici del Quirinale e dalla necropoli dell'Esquilino.

Nella fase più antica, alla quale appartengono le tombe del Foro, le sepolture sono caratterizzate dal rito dell' incinerazione con le ceneri contenute in un ossuario fittile; questo che ha generalmente la forma di una capanna viene racchiuso, insieme agli oggetti miniaturistici che imitano quelli d'uso comune, in contenitori di terracotta o di tufo [**fig. 1**].

L'omogeneità nelle sepolture, evidente nella composizione dei corredi funebri, rispecchia una società a struttura semplice, con un'economia basata sulla divisione del lavoro e sulla produzione interna del fabbisogno familiare.

Un'urna funeraria a forma di capanna, utilizzata per contenere le ceneri del defunto proviene da un'area sepolcrale dei colli Albani: questo ossuario, tipico dei coevi sepolcreti romani, perpetua nella fedele riproduzione della casa lo stretto legame con la realtà terrena, sottolineato nella cura della rappresentazione dei dettagli come l'incrociarsi dei travi della struttura lignea sul culmine del tetto o la rappresentazione della porta d'ingresso e della finestra per l'uscita del fumo del focolare [**fig. 2**].

Il cambiamento nel rito funebre che sul finire del IX secolo accompagna lo spostarsi nella zona periferica dell'Esquilino dell'area sepolcrale, rispecchia quel profondo mutamento che prelude alla formazione di un centro urbano unitario.

L'uso di deporre i defunti ed il loro corredo funebre in fosse scavate nel tufo e ricoperte da pietrame caratterizza le deposizioni della necropoli Esquilina che riflettono, nei corredi di accompagno, il profondo cambiamento che intorno all'VIII secolo a.C. investe la struttura sociale della città in formazione: una società stratificata, caratterizzata dal nascere di un'aristocrazia ricca che accumula quei beni di prestigio, che gli scambi commerciali con l'Etruria e con gli stanziamenti greci nell'Italia meridionale di recente formazione, rendono disponibili per la classe emergente [**fig. 3**].

A questo orizzonte culturale si riferiscono le prime importazioni di ceramica greca, la comparsa nella produzione locale dei motivi decorativi di tradizione geometrica e la ricchezza di bronzi sbalzati di produzione etrusca [**fig. 4**].

Nel corredo personale si avverte la distinzione tra le sepolture maschili, caratterizzate dalla presenza delle armi, e quelle femminili con oggetti di ornamento personale in bronzo in pasta vitrea e ambra [**fig. 5**].

Anche se la continuità di insediamento tra la città antica e la moderna e il carattere tumultuoso delle ricerche ottocentesche hanno restituito una documentazione assai frammentaria e casuale, nella quale non figurano le tombe "principesche" che caratterizzano nel corso del VII secolo a.C. i centri etruschi o laziali, tuttavia il livello qualitativo dei materiali rinvenuti nelle tombe di questo periodo, consente di considerare Roma un centro di grande importanza, alla pari delle città etrusche coeve [**fig. 6**].

L'alto livello culturale della città è reso evidente dalla presenza, nelle deposizioni della necropoli Esquilina, di una raffinata produzione locale di vasi d'impasto con motivi di derivazione orientale come la pisside della tomba 128, che imita analoghi oggetti di importazione in avorio, ma soprattutto nella rilevante presenza in altre sepolture di raffinate ceramiche di produzione corinzia che si affiancano ai prodotti di importazione etrusca [**figg. 7-10**].

Nelle straordinarie testimonianze restituite dalle esplorazioni recenti dell'area del Foro Boario trova significativa documentazione la "Grande Roma dei Tarquini" esito della profonda trasformazione che tra la fine del VII e la prima metà del VI caratterizza il definirsi dello spazio urbano che ha nella erezione del grandioso Tempio di Giove Capitolino sul Campidoglio e degli edifici a carattere sacro e civile del Foro Romano i suoi aspetti fondamentali.

Nell'Area Sacra del Foro Boario in questi ultimi cinquant'anni sono venuti alla luce i resti di un tempio dedicato probabilmente a *Mater Matuta* che la tradizione riferisce a Servio Tullio.

Il livello economico-culturale della città in espansione è ampiamente documentato dalla presenza, nel deposito votivo di questo tempio, di una notevole quantità di vasi e di prodotti di importazione dal mondo greco ed etrusco e dall'assorbimento di miti e di culti il cui esito è visibile nella stessa decorazione architettonica dell'edificio.

Il gruppo in terracotta raffigurante l'episodio conclusivo del mito di Eracle, con la presentazione dell'eroe alle divinità dell'Olimpo da parte di Atena, è l'espressione più alta di questa penetrazione dei miti greci e del livello artistico delle botteghe di coroplasti operanti a Roma nella seconda metà del VI secolo [**fig. 11**].

All'attività di queste botteghe si riferisce anche la decorazione fittile degli edifici dislocati in un'area molto vasta tra Campidoglio, Palatino, Esquilino.

Dalle pendici del Campidoglio provengono due antefisse a testa di Satiro e a testa di Menade poste a decorare templi eretti tra la fine del VI e gli inizi del V secolo a.C. sulla sommità dell'Arce, dei quali non vi è tuttavia notizia nelle fonti [**figg. 12-13**].

Preziose testimonianze archeologiche documentano una ininterrotta attività artistica e quindi una transizione non traumatica tra il periodo della monarchia etrusca e quello della prima repubblica.

L'urna in marmo dipinto di provenienza greca, databile alla fine del VI secolo a.C., indica il perdurare degli stretti rapporti con il mondo greco e il recepimento, all'inizio della Repubblica, di quelle disposizioni suntuarie che troveranno la loro formalizzazione a Roma nelle leggi delle XII tavole [**fig. 14**].

La presenza di artisti greci, ancora agli inizi della Repubblica è invece testimoniata da un eccezionale frammento di statua in terracotta dipinta raffigurante un guerriero ferito [**fig. 15**].

La tradizione che ricorda *Damophilos* e *Gorgasos*, due artisti greci chiamati a Roma all'inizio della Repubblica per decorare sull'Aventino il tempio di Cerere, Libera e Libero può chiarire questa incredibile testimonianza della più alta espressione della coroplastica greca del V secolo a.C.

Ad un ambiente fortemente grecizzato si riferisce anche il bronzetto a forma di capro, di squisita fattura, rinvenuto nel secolo scorso nell'area del Castro Pretorio [**fig. 16**].

La diffusione della scrittura, documentata a Roma fin dal VII secolo a.C., è presente tra i materiali dell'*Antiquarium* con straordinarie testimonianze: tra queste meritano particolare considerazione una coppa di bucchero rinvenuta alla pendici del Campidoglio e una placchetta a forma di leoncino dal deposito votivo del tempio arcaico dell'Area Sacra del Foro Boario, entrambe con iscrizioni etrusche [**figg. 17-18**].

Esse, affiancandosi ad altre in lingua latina come quelle rinvenute nel Foro Romano – cippo del *Niger Lapis* e frammento dalla Regia – testimoniano, in concomitanza con il regno dei Tarquini, una significativa presenza di Etruschi a Roma e il carattere "internazionale" di questa città che, secondo quanto tramandato dalle Fonti, chiama i più grandi artisti greci ed etruschi per la decorazione dei suoi monumenti più prestigiosi.

L'epoca immediatamente successiva alla cacciata dei Tarquini ed all'istituzione della Repubblica segna una pausa nell'attività edilizia della città, dovuta principalmente alle lotte interne tra patrizi e plebei e ad un momento di regresso economico e culturale determinato dalla perdita di una posizione chiave nei traffici tra il territorio etrusco e la Campania. Ma già all'inizio del IV secolo a.C., dopo la conquista di Veio e il sacco dei Galli, si rende manifesta quella politica espansionistica che porterà Roma, tra la fine del IV e l'inizio del III secolo, ad una serie di conquiste che allargano rapidamente i suoi orizzonti. È in questa fase che vengono ripresi importanti interventi urbanistici, che vengono costruiti o ricostruiti numerosi templi, che si creano strutture destinate a servizio pubblico.

Tuttavia proprio questo periodo di grandi trasformazioni, che gettano le basi per la strutturazione dell'impero mediterraneo, non è ben conosciuto a livello archeologico, sia per la continua crescita della città, che determina via via l'eliminazione di monumenti precedenti, sia per la deperibilità dei materiali impiegati, in un'area dove la pietra da lavorazione era scarsissima.

La terracotta costituiva evidentemente il materiale più immediato per la realizzazione di forme artistiche: non solo per un artigianato di qualità superiore destinato alla decorazione architettonica di santuari ed edifici di culto, ma anche per una produzione minore, costituita dagli ex-voto, espressioni di religiosità popolare che portano alla formazione di depositi votivi. Una di queste *favissae* [**fig. 19**], dove si usava raccogliere gli oggetti sacri periodicamente rimossi dall'interno dei templi quando lo spazio disponibile non era più sufficiente, venne in luce sull'Esquilino alla fine dell'800 e fu identificata con il deposito votivo del tempio di Minerva Medica per la presenza tra gli ex-voto di un frammento di orlo di un grosso recipiente con la dedica alla stessa divinità salutare. Il deposito è composto esclusivamente da oggetti di terracotta di una produzione artigianale piuttosto modesta, databile tra il IV e il III secolo a.C. Le statuette femminili raffigurano divinità come Minerva, Artemide, Afrodite o l'offerente stessa, a volte in atteggiamenti familiari con il bambino in braccio o nell'atto di allattare; particolarmente numerosi sono i gruppi formati da un uomo e una donna seduti. Le teste maschili e femminili ripetono con monotonia tipi molto comuni, come pure le mezze teste la cui origine è da ricercarsi probabilmente in motivi di carattere economico e funzionale. Molto caratteristici sono poi gli ex-voto anatomici che attestano, con la richiesta di guarigione di una parte del corpo, il potere medicale attribuito alla divinità.

Una nuova straordinaria attività edilizia è legata alle conquiste militari di Roma: al prestigio dei trionfatori e degli uomini politici che ne guidano le sorti e che appartengono alle grandi famiglie dominanti si devono le dediche di edifici sacri, di statue, di opere d'arte.

A questa fase di rinnovamento, in gran parte motivata da fattori economici, da un progressivo afflusso di ricchezza e da una funzione propagandistica, non si accompagna tuttavia il sorgere di una specifica cultura artistica, ma si manifesta, ancora una volta, una scelta dei modi di appropriazione della cultura greca.

In questo contesto assume caratteristiche specifiche la cerimonia del trionfo, espressione fastosa della vittoria e momento celebrativo del trionfatore: a queste manifestazioni sono legate quelle *tabulae* – pallida eco delle quali è rappresentata dalle pitture di una tomba dell'Esquilino – che venivano mostrate durante la pompa trionfale a scopo propagandistico. La necropoli Esquilina, in uso ininterrottamente dall'VIII al I secolo a.C., ha rivelato accanto a sepolture comuni, una serie di tombe ipogee o semiipogee di tipo gentilizio, databili al periodo repubblicano. Da uno di questi sepolcri, in blocchi di peperino, fu distaccato, cogliendone immediatamente l'importanza, un frammento di affresco, considerato uno dei più significativi documenti della pittura storica romana [**fig. 20**]. Il frammento, che faceva parte di un vasto ciclo pittorico che doveva occupare almeno tre pareti della tomba, è articolato su quattro registri e le scene sono delineate su un fondo bianco. La narrazione trova il suo punto focale nella seconda e nella terza fascia al centro delle quali sono inseriti due personaggi che si fronteggiano, uno in abiti militari sannitici, l'altro vestito di toga, romano. I nomi dipinti che accompagnano questi due personaggi, quello di M. Fannio e quello di Q. Fabio, hanno fatto collegare le scene ad un episodio delle guerre sannitiche, in cui la tradizione annalistica ricorda, tra i capi romani, Q. Fabio Rulliano, cinque volte console e trionfatore, morto dopo il 280 a.C. Ma forse gli episodi rappresentati nella tomba sono meglio leggibili come la consegna dei *dona militaria* ad un Fannio che iniziava in tal modo la sua scalata sociale, descritta, forse, nella parte perduta dell'affresco. Seppure questa seconda interpretazione fa cadere l'ipotesi di aver localizzato la tomba, peraltro di modeste dimensioni, di un membro della *gens Fabia*, l'importanza storico-artistica dell'affresco rimane inalterata, non solo perché consente di valutare l'influenza dei modelli delle classi dominanti sui ceti medi, ma soprattutto perché documenta la composizione di quelle pitture trionfali che conosciamo solo attraverso le fonti letterarie.

Anche se il lento processo di ellenizzazione culturale aveva avuto origine molto tempo prima, nel corso del II secolo a.C. il contatto diretto di Roma con la cultura greca non rimane senza conseguenze per la Città, manifestandosi in modo sempre più evidente nella struttura monumentale come nell'ideologia.

Una società diversamente strutturata rispetto al passato richiede forme artistiche che sappiano esprimere le esigenze della classe dominante e trasformare Roma in un centro funzionale al ruolo di capitale ma che ancora non dà origine ad un'arte propriamente romana.

Il fenomeno forse più significativo per quest'epoca è l'introduzione dell'uso del marmo come materiale da costruzione: sia Livio che Plinio concordano nell'affermare che la guerra vittoriosa contro Antioco III re di Siria segnò la fine dei simulacri di legno e di terracotta nei templi di Roma, sostituiti dalle opere d'arte importate. Nonostante questa affermazione, si continuano a decorare edifici templari con statue e gruppi in terracotta di notevole qualità formale, splendidamente esemplificata dai frammenti di terrecotte venuti alla luce nel 1876, fuori di Porta S. Giovanni, a non molta distanza dalla via Latina [**fig. 21**]. Appartenenti a figure modellate a tutto tondo, di dimensioni inferiori al vero, i frammenti sono stati attribuiti alla decorazione architettonica di un tempio, forse quello della *Fortuna Muliebris*. Se, come sembra, le figure erano disposte sul frontone del tempio, potevano rappresentare una assemblea di divinità, presieduta da Giove, assiso sul trono e con il fulmine nella mano destra. La straordinaria qualità del modellato e l'accuratezza con cui sono resi i dettagli, non comune nella coroplastica, suggeriscono per queste terrecotte una produzione di artigiani neoattici intorno alla fine del II secolo a.C., in quel momento cioè della tarda repubblica in cui si verifica una profonda influenza ellenistica sulla produzione artistica romana.

Ma è forse nella decorazione di edifici a carattere privato, dove peraltro si manifestano queste stesse influenze, che si può cogliere a pieno la trasformazione in atto della società romana: la casa diviene strumento per ostentare il lusso e quindi il prestigio raggiunti. L'immagine delle *domus* aristocratiche della tarda repubblica può essere ricostruita attraverso le descrizioni degli scrittori e il confronto con alcune case pompeiane, ma non mancano esempi, sia pure frammentari, della ricchezza e dello sfarzo raggiunti dalle decorazioni delle case romane.

Il bellissimo mosaico [**fig. 22**] con la rappresentazione della fauna marina che si dispone attorno al gruppo centrale con la lotta tra il polipo e l'aragosta, fu trovato nel 1888 nell'orto di San Lorenzo in Panisperna; stando alle relazioni di scavo il mosaico, già piuttosto frammentario, costituiva il pavimento di una sala di circa 14 mq., probabilmente una piscina «dovendo, come sembra, la stanza empirsi d'acqua pel bagno, fino ad una certa altezza, poiché le pareti erano intonacate di calcestruzzo». Faceva da cornice alla raffigurazione con i pesci un fregio a girali d'acanto entro cui sono raffigurate varie specie di uccelli ed insetti [**fig. 23**]. La straordinaria varietà di forme e di colori, la vivace resa del mondo sottomarino, l'uso raffinatissimo delle tessere di dimensioni minute e la squisita fattura della cornice che suggerisce una derivazione da modelli in metallo, consentono di collocare questo mosaico nella produzione degli inizi del I secolo a.C.

Straordinaria risulta la qualità tecnica di alcuni frammenti di intonaci dipinti provenienti da ricche dimore private, come quello con una decorazione a soggetto faraonico. Una fascia intermedia, inquadrata da un kyma e da una cornice, alterna campi a fondo rosso vivo, bianco e azzurro in cui campeg-

giano grifi in posizione araldica e la figura di *Sobek* dalla testa di coccodrillo, inginocchiato di profilo verso destra. Al di sopra, su campo bianco, è rappresentato un animale fiabesco alato verso destra [**fig. 24**].

Il frammento può essere attribuito a quella moda egittizzante che alla fine del I secolo a.C. aveva portato alla diffusione di un repertorio decorativo nato dall'esperienza religiosa e dal mondo animale e vegetale lambito dalle rive del Nilo.

Ad una analoga esperienza culturale, motivata dal collezionismo e stimolata dai contatti diretti con l'Egitto, fa riferimento il frammento di un emblema a mosaico, a tessere minutissime, con la rappresentazione di episodi legati alla vita sul Nilo [**fig. 25**]. Come nel più noto mosaico di Palestrina, così anche nel quadro dell'*Antiquarium* lungo il corso del fiume si svolgono attività e cerimonie, in presenza di un *habitat* tipicamente africano. L'emblema veniva posto in opera nella parte centrale di una più vasta superficie pavimentale, ed era eseguito non direttamente sul posto ma in laboratorio, su un supporto di marmo o di terracotta. La grandezza delle tessere ed il repertorio decorativo consentono di datare questo pannello al I secolo a.C.: esso fu ritrovato durante i lavori di sterro per la costruzione del Palazzo delle Esposizioni, in una zona quindi di edilizia residenziale.

È più che evidente che il passaggio dalla repubblica al principato, preceduto da una fase di durissime lotte interne, non porta interruzioni o sostanziali modifiche al quadro artistico che si è venuto delineando, anche se lentamente si assiste alla formazione di una civiltà artistica in Roma.

Questo passaggio e la progressiva trasformazione della produzione artistica sono ampiamente documentati nelle collezioni dell'*Antiquarium*, il cui nucleo più consistente è costituito da reperti di età imperiale, comprendendo in questa periodizzazione i secoli tra Augusto e la fine dell'arte antica, con episodiche testimonianze, tuttavia, di grande rilievo, riguardanti l'età delle invasioni barbariche.

Non solo la stratificazione millenaria di Roma ha privilegiato infatti il ritrovamento di una documentazione più ''recente'' rispetto al protostorico e all'arcaico, ma soprattutto lo sviluppo della città, il rapido incremento dei residenti, l'estendersi del centro abitato, hanno fatto sì che per quest'epoca si avessero testimonianze e ritrovamenti assai cospicui.

A ciò va aggiunta la considerazione che la produzione di manufatti in età imperiale si configura come una produzione industriale, con una standardizzazione delle tipologie e dei motivi decorativi che solo in una percentuale piuttosto bassa raggiungono risultati di buon artigianato o le vette della produzione artistica. Considerando poi come Roma imperiale fosse una grande metropoli con livelli sociali fortemente differenziati, si comprende come delle migliaia di reperti rinvenuti, una gran parte sia funzionale soltanto allo studio d'insieme o alla definizione dei vari aspetti della cultura materiale del mondo antico e non più alla restituzione di complessi topografici omogenei.

A differenza delle città vesuviane, ad esempio, che hanno restituito una cospicua messe di materiali di grande interesse per la ricostruzione della vita nella città antica, Roma è residenza imperiale e la presenza della corte e di una aristocrazia di antichissime origini, determina una fioritura artistica che non ha confronti ed è sollecita agli stimoli della grande arte greca, alla ricchezza delle espressioni orientali, al raffinato eclettismo delle corti ellenistiche.

Roma imperiale è una grande metropoli, è centro culturale,   7 religioso ma soprattutto politico ed economico di un impero vastissimo e in questo senso le testimonianze materiali consentono di ricostruire una società non omogenea come quella residente a Pompei o ad Ostia o in qualsiasi città dell'impero, ma varia e multiforme nei suoi aspetti organizzativi e culturali.

L'ampiezza degli scavi ottocenteschi, che interessarono varie zone della città, in particolare l'Esquilino con le sue dimore residenziali e le grandi proprietà passate al demanio imperiale, il Quirinale scelto dalla classe dirigente romana come residenza per il suo clima salubre e la vicinanza con il centro politico e commerciale, il Viminale, le campagne immediatamente contigue alla città con gli insediamenti delle ville rustiche e le necropoli, ha consentito negli anni tra il 1870 ed i primi del '900, di formare una straordinaria collezione di reperti che documentano tutte le fasi della storia di Roma imperiale.

Ad un ambito funerario riconducono non solo gli innumerevoli oggetti trovati a corredo delle sepolture, ma anche urne, altari, sarcofagi e monumenti, come il blocco marmoreo con andamento curvilineo che costituiva verosimilmente l'architrave di un edificio a carattere sepolcrale. La decorazione comprende, entro una cornice a kyma continuo, due bucrani che sorreggono un ricco festone di frutti e foglie. I teschi portano annodate infule e nastri di perline; alle corna sono legate le tenie che trattengono la ghirlanda; nello spazio centrale al di sopra di questa è rappresentata una patera [**fig. 26**]. Tutti i motivi decorativi hanno un preciso riferimento alla sfera cultuale e funeraria e trovano una amplissima diffusione nel repertorio ornamentale di urne cinerarie e altari funerari della prima età imperiale.

È soprattutto attraverso i risultati degli scavi condotti sull'Esquilino che si può cogliere a pieno la ricchezza e la sontuosità di alcune case romane, se non delle stesse proprietà imperiali: essa si manifesta attraverso la scelta di materiali e tecniche estremamente raffinate e costose messe in opera per la decorazione almeno degli ambienti di rappresentanza delle *domus*. La tecnica dell'intarsio di marmi colorati per il rivestimento delle pareti si diffonde dal I secolo d.C., secondo quanto afferma Plinio condannando queste manifestazioni di lusso sfrenato. Una serie di frammenti in *opus sectile* conservati nell'*Antiquarium*, provenienti in gran parte dalla zona degli *Horti Lamiani*, residenza imperiale sull'Esquilino, dà la misura della eleganza e della preziosità di tali rivestimenti. In particolare si segnala un piccolo capitello di lesena con fondo di rosso antico e intarsi in giallo antico, palombino e calcare verde che delineano gli elementi compositivi del capitello, con un risultato di grande raffinatezza [**fig. 27**].

Nella stessa zona dell'Esquilino furono ritrovate «varie parti di grande e prezioso arredo, ch'ebbe il fusto di legno, foderato di bronzo dorato, e tempestato di gemme, del quale non si può più rintracciare con sicurezza la forma e l'uso». I frammenti del «prezioso arredo» di cui parla la relazione di scavo, comprendenti una grande quantità di lastrine di agata, di gemme, di chiodi, di lamine di bronzo dorato, fanno parte di una decorazione architettonica o parietale della lussuosa dimora imperiale degli *Horti Lamiani*. L'allestimento di una mostra al Palazzo dei Conservatori con lo straordinario complesso di sculture e con il raffinato apparato decorativo ha offerto la possibilità di presentare insieme reperti musealizzati e materiali immagazzinati provenienti da quello stesso contesto e di proporne uno studio complessivo. L'esecuzione di questi elementi di arredo, di cui si presenta un frammento di lamina di bronzo dorato con gemma incastonata, viene cronologicamente inquadrata nella metà del I secolo d.C. [**fig. 28**].

Accanto a queste raffinate e lussuose espressioni artistiche, di più modesto impegno appare il ciclo pittorico rinvenuto nel 1933 in via Genova durante i lavori per la costruzione della Caserma dei Vigili del Fuoco. La decorazione tuttavia ha un suo particolare interesse non solo come testimonianza di un artigianato corrente, ma anche perché ripropone un intero ambiente. Un lungo e complesso lavoro di restauro ha permesso infatti di ricomporre la decorazione, distaccata al momento dello scavo e immagazzinata. Le pareti, a fondo bianco e suddivise in campi da esili architetture prospettiche, sono decorate al centro da piccoli quadri paesistici estremamente semplificati. Candelieri floreali collegate da ghirlande, uccelli, maschere, arricchiscono la decorazione della parete che trova un sicuro punto di riferimento, per l'organizzazione dello spazio e la scelta del repertorio decorativo, nelle pitture degli ambienti secondari della *Domus Aurea* [**fig. 29**].

Anche gli affreschi distaccati da un ambiente scoperto a fianco della chiesa di S. Crisogono negli anni '40, appartengono con molta probabilità alla decorazione di una *domus* lungo la via Aurelia. Il restauro ha permesso di rimontare le lastre distaccate in maniera tale che i brani di intonaco risultino posizionati nello stesso modo in cui si intravvedono nelle foto di scavo. Lo spazio della parete risulta articolato in una zoccolatura divisa in pannelli con la rappresentazione di un cigno o di un delfino al centro; al di sopra edicole con animali volanti (pantera, cervo, cavallo) alternate a pannelli delimitati da colonnine abbinate, al centro dei quali sono figure di divinità (Mercurio, Diana, Giove). Cesti, teste di stagione, ghirlande, completano la decorazione che alterna fondi chiari per le figure a fasce campite di colore rosso bruno, rosso acceso e giallo. La restituzione pressoché completa della decorazione dell'ambiente, rende questo ciclo particolarmente interessante per seguire le tendenze della pittura romana nel II secolo d.C. [**fig. 30**].

Un vasto settore delle raccolte dell'*Antiquarium* è costituito dalla decorazione in marmo relativa a strutture architettoniche, ma la scelta di immagazzinare gran parte di questo materiale, che non poteva essere esposto in una sede museale, ha determinato la perdita di notizie utili relative ai luoghi di ritrovamento e quindi alla ricostruzione di contesti, ad eccezione di alcune testimonianze monumentali.

Tale è ad esempio il grande frammento di soffitto a lacunari proveniente dalla zona di Piazza di Pietra, attribuito al tempio del Divo Adriano. Le notevoli dimensioni del frammento e la raffinatezza del programma decorativo testimoniano della monumentalità dell'impianto. Quadrati e triangoli si dispongono attorno ad un esagono centrale e contengono al centro rosette a più petali; lo schema doveva ripetersi allo stesso modo fino alla copertura di tutta la superficie. Un'indicazione particolarmente significativa è rappresentata dalle lettere e dai numeri incisi su uno dei margini della lastra per segnalare l'attacco con le altre, secondo un preciso schema di montaggio [**fig. 31**].

La consuetudine di seppellire il defunto con un corredo di oggetti, motivata da credenze religiose e da una manifestazione di *pietas* dei sopravvissuti nei confronti del congiunto, è antichissima ed ha portato al ritrovamento di un grande numero di oggetti proprio nelle sepolture. Si tratta quasi sempre di oggetti di uso personale o domestico proprio per la funzione che dovevano assolvere di affettuoso ricordo.

Grande emozione suscitò perciò il ritrovamento nel 1888, durante gli sterri per la costruzione del palazzo di Giustizia, dei sarcofagi di *Crepereio Euhodo* e di *Crepereia Tryphaena*: la giovane donna, morta all'età di circa vent'anni era stata infatti sepolta adorna dei suoi gioielli e con accanto gli oggetti più cari. Portava sul capo una coroncina di foglie di mortella trattenuta da un fermaglio d'argento, orecchini a pendente in oro e perle; una collana d'oro ed una preziosa spilla d'oro con castone in ametista incisa ad intaglio con un grifo che assale uno stambecco [**fig. 32**]. All'anulare e al mignolo erano infilati tre anelli, di cui uno con castone di corniola nella quale sono incise due mani che si stringono. L'oggetto forse di maggiore interesse di tutto il corredo è rappresentato da una bambola in avorio con le articolazioni snodate, eseguita con una perizia tale da richiedere la padronanza di uno straordinario livello tecnico [**fig. 33**]. Al corredo della bambola è probabilmente da attribuire il cofanetto con rivestimento in avorio e osso; anche i due specchietti in argento e i pettinini in osso sono da ricondurre alla funzione di giocattolo. La bambola fornisce il dato cronologico più preciso, rappresentando un elaborato tipo di pettinatura in voga nella metà del II secolo d.C.

La lavorazione del vetro, che ha origini antichissime nelle regioni occidentali dell'Asia, subisce una profonda trasformazione intorno alla metà del I secolo a.C. quando dalla tecnica della colatura si passa alla soffiatura. Il tipo di lavorazione ormai a carattere industriale in età imperiale romana e il favore del pubblico nei confronti di questo materiale, sono testimoniati dalla enorme quantità di recipienti interi e frammentari conservati. In vetro soffiato, liscio o decorato, si realizzano oggetti piccoli e grandi, semplici ed elaborati, dal vasellame da tavola ai contenitori per il trasporto, dalle urne cinerarie alle lampade e a tutti gli oggetti di uso domestico. Una lavorazione industriale che tuttavia raggiunge in alcuni esemplari un alto grado di perfezione tecnica e qualitativa che perdura fino alla fine dell'impero romano, di contro alla decadenza ed all'impoverimento di altre forme artistiche. Una serie di balsamari e unguentari, e alcune grandi olle con coperchio destinate a contenere le ceneri del defunto, rappresentano due tipologie ben distinte tra qualche migliaio di manufatti in vetro dell'*Antiquarium* [**figg. 34-35**].

Tra i molti oggetti in bronzo e in avorio, di uso domestico, personale o di lavoro, raccolti negli sterri di fine '800, si segnalano, per l'ottimo stato di conservazione e per l'attualità delle forme, una stadera e due secchielli ed alcune pedine e tessere per il gioco [**figg. 36-38**]. La prima è completa di asta graduata, catenelle e piatto; le due situle, con doppio manico, facevano parte di quell'*instrumentum domesticum* che, in materiali più o meno preziosi, con decorazioni più o meno elaborate, costituiva l'indispensabile corredo di vasellame di ogni casa. Le situle in particolare venivano utilizzate per mischiare il vino con l'acqua e facevano quindi parte del servizio da mensa.

La lucerna costuisce il sistema di illuminazione più diffuso, accanto alle candele di cera o di sego infilate in candelieri di bronzo [**figg. 40 e 42**]. Lucerne ad olio possono essere in terracotta o in bronzo, queste ultime poggiate per lo più su portalampade dello stesso metallo. Diffusissime in età imperiale sono le lampade di terracotta a uno o più becchi, ricavate da matrici, con rappresentazioni figurate sul disco. L'enorme produzione, esemplificata nelle collezioni dell'*Antiquarium* da circa 5000 esemplari, si differenzia per la forma del serbatoio, del becco, per la presenza o meno dell'ansa: la classificazione delle forme e delle varianti consente di stabilire precise cronologie nell'ambito di questa produzione. Sul disco potevano essere rappresentati nature morte, soggetti mitologici, divinità o, come in questi esemplari, una scena di pesca, le tre Grazie, amorini che tentano di sollevare la clava di Ercole, mentre l'iscrizione incita: *adiuvate sodales*. Il quarto esemplare è una singolarissima lucerna a forma di piede, dal cui alluce fuoriusciva la fiammella.

Numerose gemme, ma anche semplici pietre con rappresentazioni magiche, molto spesso accompagnate da iscrizioni, rivelano una diffusa tendenza ad esorcizzare il male o l'invidia attraverso formule o rappresentazioni che fossero efficaci talismani. Alcune avevano potere contro vari tipi di malattie: febbre, mal di reni, emorragie, dolori allo stomaco; altre recano incantesimi d'amore, altre ancora sono amuleti contro esseri demoniaci. La definizione di "gemme Abrasax", dal nome più frequentemente inciso su tali pietre, riconduce al potere magico di questa divinità, nelle cui lettere si nasconde il valore numerico 365, corrispondente ai giorni dell'anno solare e al "mondo intermedio" attraverso il quale l'essere supremo comunicava con quello terrestre. In questo caso sulla gemma è rappresentato un essere fantastico con corpo umano, testa di gallo e gambe serpentiformi affiancato da un serpente e da uno scorpione [**fig. 41**].

Una serie di rilievi funerari e insegne di bottega, in marmo o in terracotta riproducono gli strumenti di lavoro di falegnami, carpentieri, capomastri. Straordinario risulta quindi il confronto tra le rappresentazioni scultoree e i materiali in bronzo conservati nell'*Antiquarium* relativi a quei mestieri. Una selezione di compassi e pesi del tipo a cono di bronzo riempito di piombo per misurazioni con il filo, testimonia della continuità delle forme e della funzionalità per alcune classi di strumenti tecnici dall'antichità ad oggi [**fig. 39**].

Statuette di Lari, danzanti o stanti, trovavano posto nel piccolo santuario domestico, accanto a Vesta, ai Penati, al *Genius* e alle altre divinità tutelari della casa e della famiglia. Caratteristici nell'abbigliamento e nell'atteggiamento, recano solitamente in una mano il *rython* o la cornucopia, nell'altra la patera o la situla. La statuina in bronzo di Lare, proveniente da scavi sul Viminale, nella eleganza dell'impostazione e nello slancio della figura, si rivela opera di squisita fattura dovuta ad una bottega o ad un artigiano di notevoli capacità tecniche [**fig. 43**].

Uno dei più straordinari documenti della Roma imperiale è certamente costituito dalla grande pianta marmorea della città realizzata tra il 205 e il 208 d.C. come attesta la menzione del prefetto di Settimio Severo, *L. Fabius Cilo*. La pianta, formata da circa 150 lastre in scala 1:240 copriva una superficie di circa 235 mq. della parete nord-occidentale di un'aula del Foro della Pace, corrispondente oggi al prospetto del convento annesso alla chiesa dei Santi Cosma e Damiano. L'eccezionale documento severiano, che riproduce, probabilmente sulla base di piante catastali, tutti gli edifici pubblici e privati della città, risulta, nonostante la sua attuale frammentarietà, di fondamentale importanza per la ricostruzione della topografia antica e l'identificazione delle strutture. Questo frammento della *Forma Urbis* riproduce parte degli edifici commerciali dell'odierno Testaccio, portici e *horrea* per lo stoccaggio delle merci che arrivavano a Roma via Tevere [**fig. 44**].

Di fronte alle splendide decorazioni pittoriche delle case pompeiane, sigillate e integralmente conservate dalla catastrofe del 79 d.C., la documentazione sulla pittura parietale a Roma si rivela limitata a pochi grandi complessi o estremamente frammentaria. Una testimonianza tuttavia dell'evoluzione dello stile e della presenza di botteghe di artigiani-decoratori, può essere offerta dalla pittura a rapide e dense pennellate che delineano il paesaggio e le figure come semplici *silhouettes*, di ispirazione "popolaresca" nei due pannelli provenienti da via dello Statuto. Le casette, una donna che dà da mangiare alle oche, il giovane che si avvia ai campi per il lavoro quotidiano, la stessa natura che compone lo sfondo, contrastano con quel repertorio di dei ed eroi o di esseri fantastici che campeggiano nelle grandi composizioni pittoriche che conosciamo attraverso la pittura pompeiana e danno la misura di un artigianato corrente in un'epoca posteriore e in un ambiente assai eterogeneo quale era quello romano [**fig. 45**].

Una crisi già latente alla fine del II secolo d.C. conduce progressivamente alla rottura di quell'equilibrio della forma artistica che aveva sostanziato l'arte dei primi secoli dell'impero e che porta, nel corso dei secoli successivi, al prevalere di elementi irrazionali, generati da una tensione morale che scaturisce da profondi cambiamenti nella struttura dello stato e nella società.

Gli elementi nuovi, originali che si vanno lentamente maturando e che avranno profonde ripercussioni sull'arte occidentale, non si colgono in tutte le manifestazioni artistiche – molte di queste restando ancorate alle produzioni di serie e ad un livello di artigianato corrente – ma si leggono in tanti monumenti che raggiungono, con un linguaggio nuovo, pienezza di espressione e di tensione, pur nel diminuito rigore formale. Si tratta in genere di opere destinate o commissionate da personaggi delle classi più elevate, seguaci di correnti filosofiche e dottrine religiose che tanta influenza ebbero sulla nuova forma dell'arte figurativa.

Un eccezionale documento della tecnica musiva parietale nella tarda età imperiale, è costituito dal pannello rinvenuto negli sterri per l'apertura di via Nazionale nel 1878, raffigurante una nave che salpa dal porto. La rappresentazione comprende l'edificio del faro a più elementi sovrapposti con una statua sul coronamento, la banchina e la parte poppiera di una nave mercantile sulla quale si affaccendano i marinai. Il mosaico a tessere di marmo e paste vitree che conferiscono una particolare brillantezza al disegno e consentono di creare preziose sfumature di colore, doveva decorare la parete di un ninfeo all'interno di un criptoportico. La ricca decorazione dell'ambiente e la monumentalità dell'impianto fanno ipotizzare che la struttura avesse funzioni di collegamento tra vari corpi di fabbrica all'interno di una vasta proprietà privata [**fig. 46**].

Le due tavolette in avorio, legate da anellini, riportano sulla faccia esterna un nome in genitivo, che attesta la proprietà del dittico: di *Gallienus Concessus*, senatore. La parte interna delle valve, leggermente incassata e spalmata di cera, serviva per scrivere con lo stilo, strumento a punta in rame o in osso. Una volta richiuso e fermato, il dittico poteva essere appeso alla cintura. Se l'esemplare dell'*Antiquarium* ha una

forma semplicissima, ne esistono di estremamente elaborati poiché dal IV secolo invale l'uso di donare, da parte dei consoli ordinari, queste tavolette scrittorie a personaggi illustri, a dignitari di corte, all'imperatore [**fig. 47**].

Servus sum domini mei Scholastici viri spectabilis tene me ne fugiam de domo pulverata.
Tene me ne fugiam et revoca me at ninfeum Alexandri. Le due iscrizioni si leggono rispettivamente sul collare e sul pendente in bronzo e costituiscono una impressionante testimonianza relativa al mondo servile. Portati da schiavi probabilmente già fuggitivi, segnalano l'appartenenza del servo ad una famiglia o ad una associazione e ne impongono la restituzione qualora avvenga un tentativo di fuga. Significativi appaiono poi in questo caso i toponimi presso cui dovrebbe essere ricondotto il fuggitivo: la semplicità con cui vengono indicati i due luoghi fa supporre che fossero edifici ben noti e comunque di una certa importanza [**fig. 48**].

Nel 1903, per lavori che interessavano il ponte ferroviario nei pressi di Santa Bibiana, fu riportato alla luce un grande mosaico policromo, peraltro incompleto, destinato alla pavimentazione di un lungo ambiente, forse un portico: il tema decorativo si svolge infatti su due fasce parallele e le figure sono rivolte verso l'esterno. Vi sono rappresentati vari episodi di caccia: all'orso, al cinghiale, al cervo, allo stambecco, con armi, trappole e cani che accompagnano i cacciatori. Il *dominus* campeggia a cavallo accompagnato dai servi e dagli uomini del seguito, in un paesaggio estremamente rarefatto, che si serve di alberelli, cespugli e di linee curve per movimentare il terreno. Allestito in una delle grandi sale dell'*Antiquarium* del Celio, il mosaico fu distaccato e immagazzinato al momento della chiusura del museo, ma ha conservato, anche nei singoli pannelli, tutto il fascino e la ricchezza di un tappeto musivo che trova confronti con le rappresentazioni di caccia di Piazza Armerina o di alcune località africane e come questi può essere datato al IV secolo, offrendosi come unica documentazione musiva a Roma di tale respiro in un'epoca così tarda. D'altra parte la ricchezza dell'impianto ben si accorda con la provenienza dalla zona degli *Horti Liciniani*, residenza imperiale nel tardo impero [**fig. 49**].

La fibula d'oro, lavorata con la tecnica *cloisonnée*, si compone di due parti speculari in forma di aquile con le teste rivolte in direzione opposta; sulla lamina di fondo, in oro e argento, sono applicate laminette d'oro sagomate a formare alveoli entro i quali si dispongono granati almandini tagliati piani. Il contorno dei rapaci è segnato da un bordo a cordoncino mentre l'occhio è costituito da una semisfera di cristallo di rocca al centro del quale è inserito un almandino. La diffusione del motivo della testa di rapace o dell'aquila intera su fibbie e fibule, è limitata alle genti ostrogote in Italia e visigote in Spagna e circoscritta tra il tardo V secolo ed il VI d.C.. Questi dati trovano una precisa corrispondenza con le notizie del ritrovamento del gioiello: la fibula si rinvenne infatti in una sepoltura immediatamente attribuita ad un personaggio goto, scoperta nel 1888 nel sepolcreto sopraterra adiacente alla basilica di San Valentino lungo la via Flaminia. Si tratta quindi di uno dei reperti cronologicamente più tardi delle collezioni dell'*Antiquarium* [**fig. 50**].

Fig. 1 - Disegno ricostruttivo di una tomba del sepolcreto del Foro Romano, IX secolo a.C.

Fig. 2 - Urna cineraria in forma di capanna, IX secolo a.C.

Fig. 3 - Disegno ricostruttivo di una tomba tipo della necropoli Esquilina, metà VIII secolo a.C.

Fig. 4 - Vaso di argilla figulina con decorazione geometrica di derivazione greca dalla tomba XXXI della necropoli Esquilina, metà VIII secolo a.C.

Fig. 5 - Oggetti d'ornamento personale: collana in pasta vitrea e ambra, fibula in bronzo, fuseruola, da una tomba femminile del sepolcreto esquilino, VIII secolo a.C.

Fig. 6 - Corredo vascolare con impasti e buccheri dalla tomba 128 della necropoli Esquilina, seconda metà del VII secolo a.C.

Fig. 7 - Olla con coppelle presso il bordo, dalla tomba 128   Fig. 8 - Pisside con decorazione incisa dalla tomba 128

Fig. 9 - Piccolo vasetto porta profumi di produzione corinzia, dalla tomba 125 della necropoli Esquilina, prima metà del VII secolo a.C.

Fig. 10 - Coppetta di produzione protocorinzia, metà VII secolo a.C.

14

Fig. 11 - Gruppo con Eracle e Atena dall'area sacra del Foro Boario, seconda metà del VI secolo a.C.

Fig. 12 - Antefissa fittile a testa di Menade da un edificio dell'Area Capitolina, ultimi decenni del VI secolo a.C.

Fig. 13 - Antefissa fittile a testa di Satiro da un edificio dell'Area Capitolina, primi decenni del V secolo a.C.

Fig. 14 - Urna in marmo greco con tracce di decorazione dipinta, fine VI secolo a.C.

Fig. 15 - Torso di guerriero ferito in terracotta dipinta, originale greco degli inizi del V secolo a.C.

17

Fig. 17 - Coppa di bucchero con iscrizione etrusca dalle pendici del Campidoglio, seconda metà del VI secolo a.C.

Fig. 18 - Placchetta in avorio a forma di leoncino con una iscrizione etrusca sul retro, dall'Area Sacra del Foro Boario, inizio del VI secolo a.C.

Fig. 16 - Capro in bronzo, inizi del V secolo a.C.

Fig. 19 - Ex-voto dalla stipe di Minerva Medica

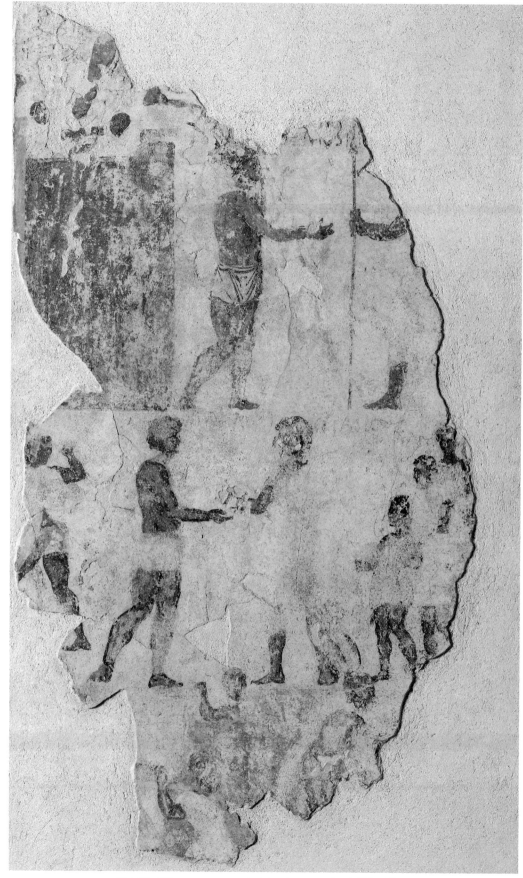

Fig. 20 - Affresco con scene storiche da una tomba dell'Esquilino

Fig. 21 - Terrecotte frontonali di via Latina

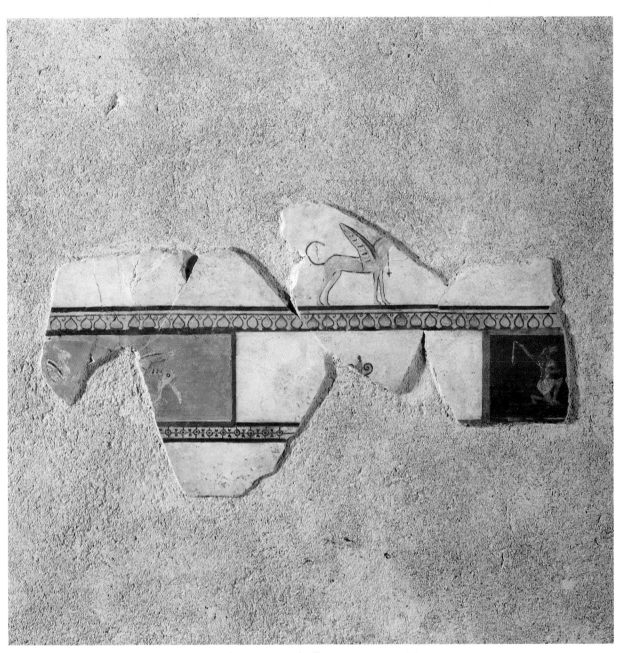

Fig. 24 - Frammento di affresco con motivi egizi

Fig. 25 - Pannello di mosaico con scene nilotiche

sopra
Fig. 26 - Architrave di
monumento funerario

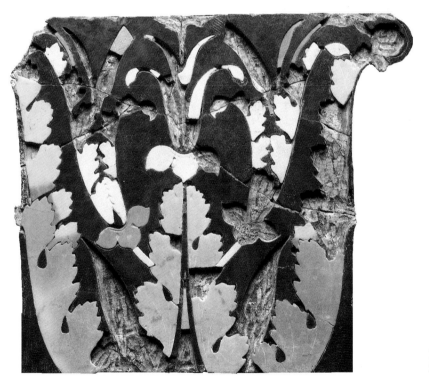

Fig. 27 - Capitello di lesena
in *opus sectile*

25

Fig. 28 - Decorazione in bronzo dorato con gemma incastonata

Alla pagina accanto: Fig. 29 - Pannello di affresco da via Genova

Fig. 30 - Pannello di affresco da San Crisogono

Fig. 31 - Soffitto a lacunari

29

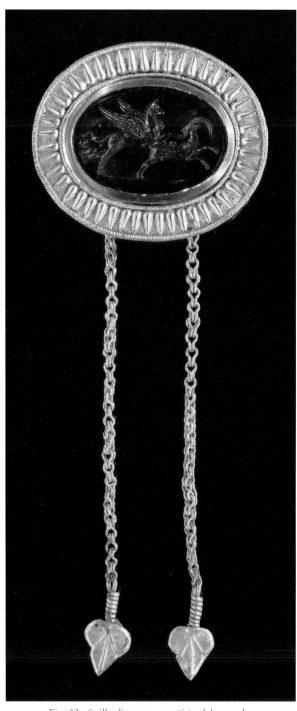

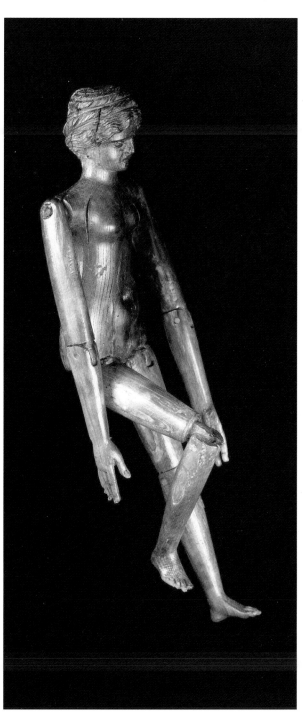

Fig. 32 - Spilla d'oro con ametista dal corredo
di *Crepereia Tryphaena*

Fig. 33 - Bambola snodata in avorio dal corredo di Crepereia

Fig. 34 - Balsamari in vetro soffiato

Fig. 35 - Olle cinerarie in vetro soffiato

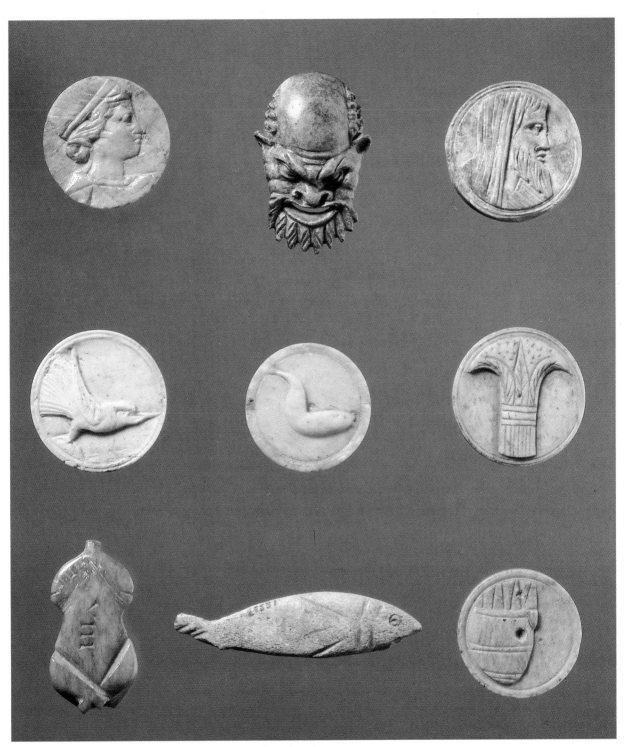

Fig. 36 - Pedine da gioco in avorio

Fig. 37 - Situle in bronzo

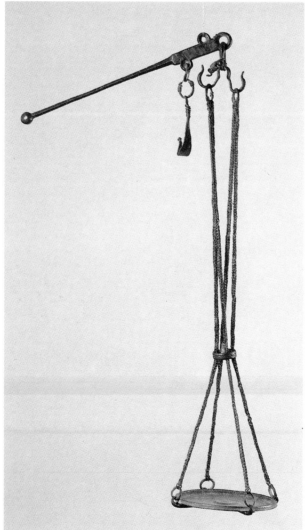

Fig. 38 - Stadera in bronzo

Fig. 40 - Lucerna in bronzo

Fig. 41 - Gemma incisa con
rappresentazione magica

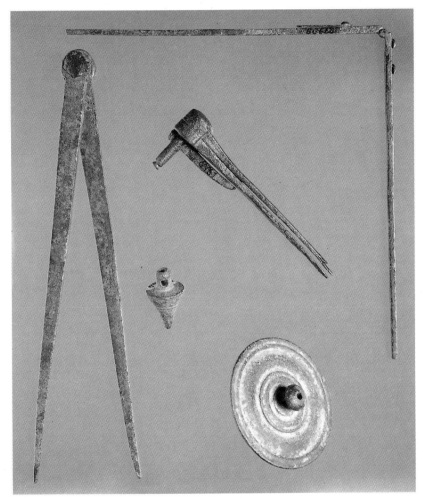

Fig. 39 - Strumenti da lavoro in bronzo

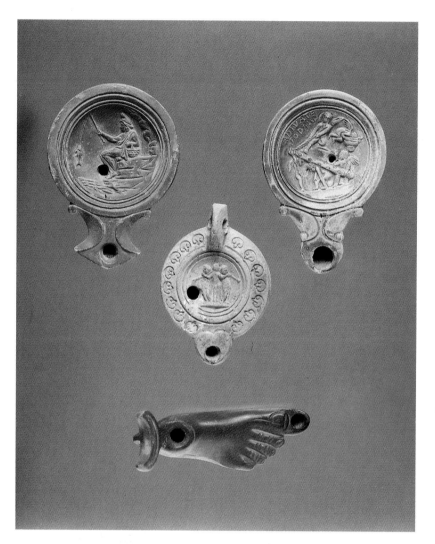

Fig. 43 - Statuetta di Lare
domestico in bronzo

Fig. 42 - Lucerne

Alla pagina accanto
Fig. 44 - Frammento della *Forma Urbis*
severiana

Fig. 45 - Affresco con scena campestre

Fig. 46 - Mosaico parietale con scena di porto

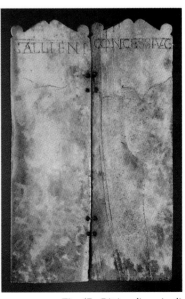

Fig. 47 - Dittico d'avorio di
Galieno Concesso

Fig. 48 - Collare e pendaglio in bronzo
con iscrizioni

39

sopra
Fig. 49 - Pannello del mosaico con scene
di caccia da Santa Bibiana

Fig. 50
Fibula gota in oro e almandini
a forma di aquile